진흥왕

삼국 통일의 터를 닦다

원작 김부식 글 구들 그림 최현희 감수 최광식

딸가닥 딸가닥.

고구려와 국경*을 맞대고 있는 신라의 외딴 마을에 요란한 말발굽 소리가 들려왔어요.

사람들은 두려움에 떨며 밖을 내다보았어요.

고구려 군사 한 무리가 말을 타고 마을을 향해 달려오고 있었지요.

"으악, 고구려군이다!"

신라 백성들은 재빨리 짐을 꾸려 산으로 달아났어요.

고구려군은 순식간에 마을을 점령했어요.

신라 백성들은 산속에 숨어 지내며 신라군을 기다렸어요.

"차라리 내려가서 항복하는 게 나을 거야.

신라군이 와도 질 게 뻔하니까. 쿨럭쿨럭."

한 노인이 고통스럽게 기침을 하며 말했어요.

*국경 : 나라와 나라의 영역을 가르는 경계

"서쪽으로는 백제군이 쳐들어오고, 남쪽 해안으로는 왜구*들이 쳐들어오고…….

이게 다 약한 나라에서 태어난 죄예요."

아이를 안은 여자가 울먹이며 말했어요.

당시 신라는 북쪽의 고구려, 서쪽의 백제에 비해 작고 약한 나라였어요.

그래서 늘 두 나라의 침략에 시달렸답니다.

"후유, 소문을 들으니 이번에 왕위에 오르는 임금님은 겨우 일곱 살이래요."

한 남자가 한숨을 쉬며 말하자 모두들 얼굴이 어두워졌지요.

*왜구 : 옛날 일본의 해적

그때, 대궐에서는 왕의 즉위식이 열리고 있었어요.

일곱 살짜리 어린 왕은 의젓한 얼굴로 금관을 쓰고 옥좌*에 앉았어요.

바로 신라 제24대 진흥왕이었지요.

진흥왕은 큰아버지 법흥왕의 뒤를 이어 왕이 되었어요.

그런데 진흥왕을 바라보는 어머니 지소 부인의 얼굴에는 근심이 어렸어요.

왕이 어리다는 이유로 대신들이 벌써부터 자기들 마음대로
나라를 움직이려 한다는 것을 알고 있었기 때문이에요.

즉위식을 마친 뒤, 지소 부인은 진흥왕을 불러 조용히 말했어요.

"폐하가 앉으신 자리는 한 나라를 이끌어 가는 중요한 자리입니다.
어른도 제대로 감당하기 힘든 자리이지요."

어린 진흥왕은 가만히 지소 부인을 바라보며 말했어요.

*옥좌 : 왕이 앉는 의자

"그래서 저도 많이 생각해 보았습니다.
어머니! 제가 어른이 될 때까지
제가 바른 정치를 할 수 있도록 도와주십시오."
진흥왕의 말에 지소 부인은 빙그레 미소를 지었어요.
"알겠습니다. 온 마음을 다해 폐하를 돕겠습니다."

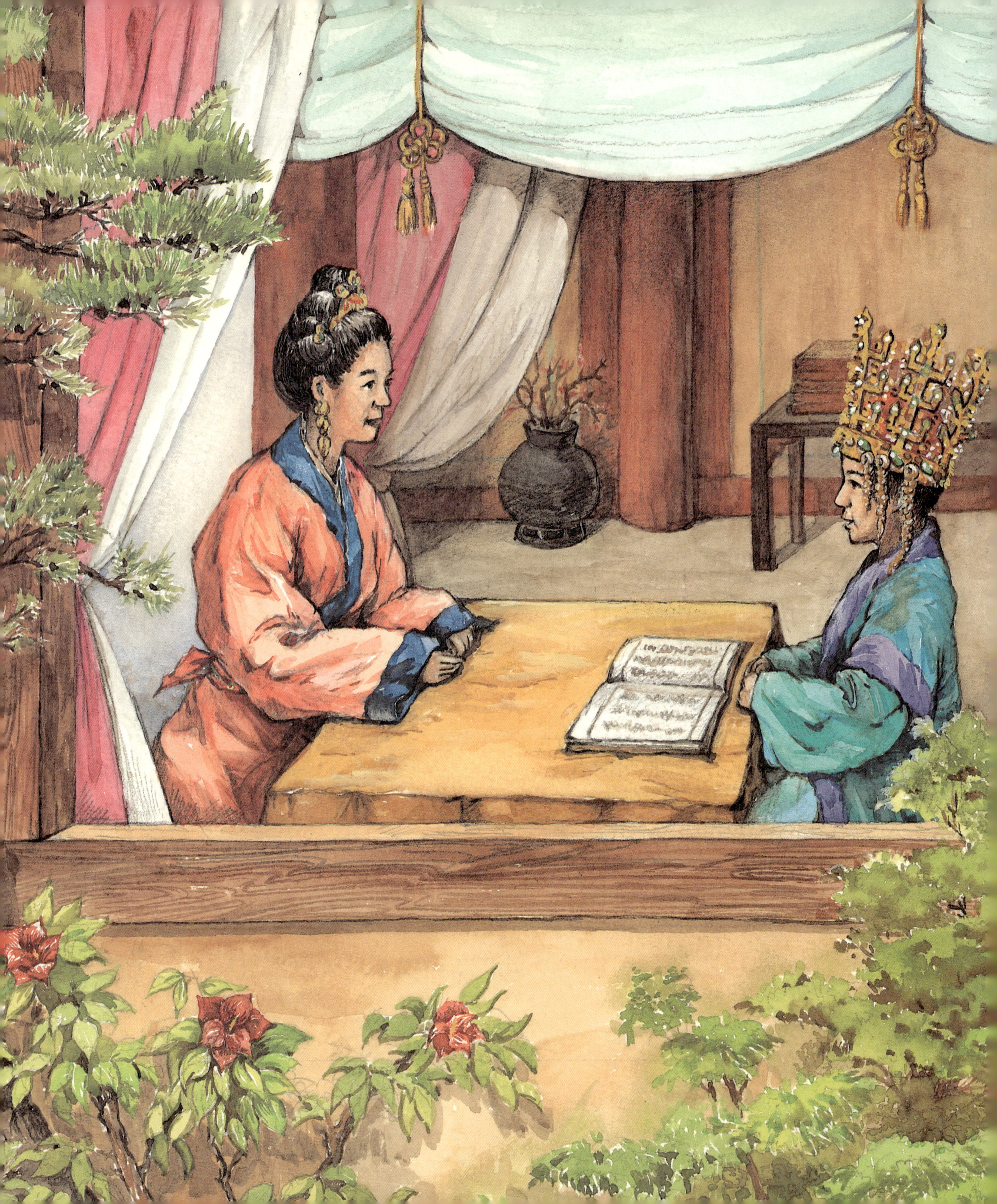

지소 부인은 현명한 여인이었지요.

지소 부인은 진흥왕과 함께 밤낮으로 공부를 했어요.

특히 역사 공부를 하는 데 많은 시간을 보냈지요.

"역사책을 보면 지난날 훌륭한 왕들이 어떻게 나라를 다스렸는지,

어리석고 나쁜 사람이 어떤 잘못을 하여 벌을 받았는지 잘 알 수 있습니다.

그러니 폐하께서는 역사를 열심히 공부하셔서 훌륭한 왕들을 본받으십시오."

지소 부인은 지리 공부도 열심히 가르쳤어요.

"땅의 모양과 성질을 알면 어느 곳에 무슨 농산물을 키워야 풍년이 드는지 알 수 있습니다.

또한 산과 골짜기의 위치와 모양을 알면 전쟁을 할 때 유리합니다.

그러니 우리 신라뿐 아니라 고구려, 백제, 가야 등 다른 나라의 지리도 아셔야 합니다."

지소 부인은 대신 한 사람 한 사람의 됨됨이도 잘 살펴야 한다고 했어요.

누가 정직한지, 아첨*을 잘하는지, 충신인지, 간신인지 말이에요.

어머니 지소 부인의 가르침으로 진흥왕은 나날이 총명해졌어요.

*아첨 : 남에게 잘 보이기 위해 거짓으로 꾸미는 행동

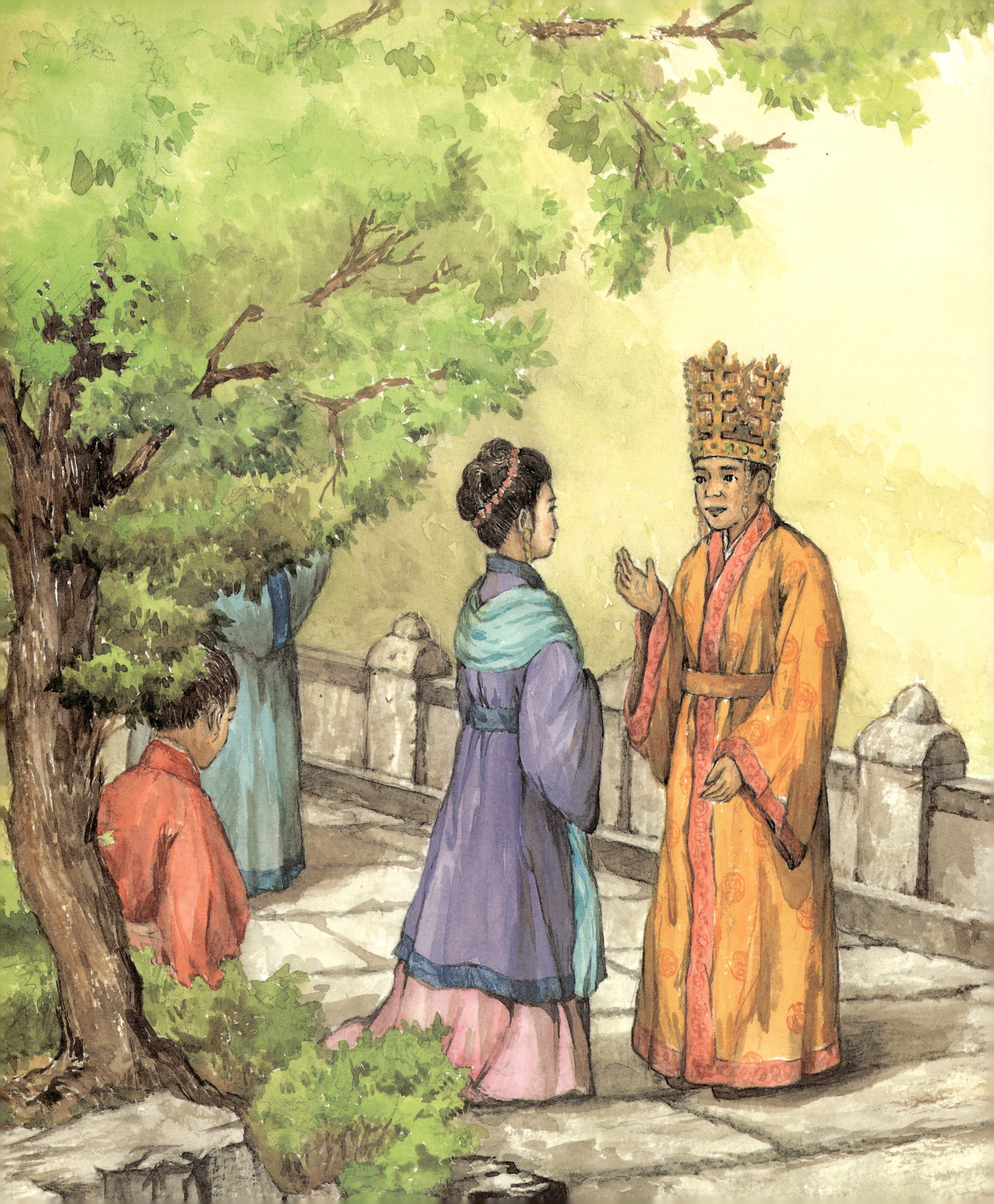

진흥왕이 열여덟 살 되던 어느 날, 지소 부인이 진흥왕에게 물었어요.
"폐하! 신라가 강해지기 위해서 가장 필요한 것이 무엇일까요?"
진흥왕은 거침없이 대답했어요.
"한강 유역을 되찾는 것입니다."
진흥왕은 열띤 목소리로 말을 이어 나갔어요.
"신라는 땅도 좁고 인구도 적습니다. 그래서 늘 고구려와 백제의 침입을 당하는 것입니다.
그런 시달림으로부터 벗어나려면 당나라와 손을 잡아야 합니다.
따라서 한강을 차지해야 하는 것이 급선무입니다."
한강에서 배를 타면 서해로 갈 수 있고, 서해만 건너면 당나라 땅에 바로 닿을 수 있었지요.
게다가 한강 유역은 땅이 기름져서 해마다 풍년이 들었어요.
그러다 보니 고구려와 백제는 한강 유역을 차지하기 위해 늘 으르렁거렸지만
힘이 약한 신라는 쳐다만 볼 뿐 감히 싸움에 끼어들 엄두도 내지 못했지요.
진흥왕의 대답에 지소 부인은 미소를 지으며 말했어요.
"제대로 알고 계시는군요. 폐하께서는 더 이상 저의 도움이 필요하지 않으십니다.
이제부터는 폐하 스스로 이 나라를 잘 다스려 주십시오.
오늘부터 저는 절로 들어가 폐하와 신라의 발전을 기도하겠습니다."

그리하여 진흥왕은 열여덟 살이 된 해부터 직접 나라를 다스렸어요.

지난 십 년 동안 지소 부인이 진흥왕을 잘 가르쳤기 때문에

대신들은 진흥왕이 어리다고 해서 함부로 얕볼 수가 없었어요.

하지만 진흥왕은 언제나 마음이 갑갑했어요.

대궐 안의 늙은 대신들은 도무지 진흥왕의 큰 꿈을 이해하지 못했거든요.

"폐하! 신라는 본디 작은 나라입니다.

너무 욕심을 내시면 공연히 고구려와 백제로부터 또 침략을 당하니 조심해야 합니다."

"그러하옵니다. 백제와 고구려는 저희들끼리 자주 싸웁니다.

그러니 우리 신라는 그때그때 상황을 보아서 고구려가 강하면 고구려 편을 들고,

백제가 강하면 백제 편을 들면 됩니다. 그것이 안전합니다."

대신들과 회의를 마친 진흥왕은 화가 치밀어 몇 시간이고 활을 쏘거나

혼자서 말을 타곤 했답니다.

'아, 뜻을 같이 할 사람들이 없을까? 새로운 생각과 시도를 두려워하지 않는

젊은 친구들과 함께 이 나라를 이끌어 갈 수 있다면 좋으련만……'

그때, 진흥왕에게 좋은 생각이 떠올랐어요.

'그래, 어머니의 가르침이 지금의 나를 만들었다.

그렇다면 신라의 우수한 젊은이들을 뽑아 가르친 다음 나를 돕게 하면 되지 않을까?'

11

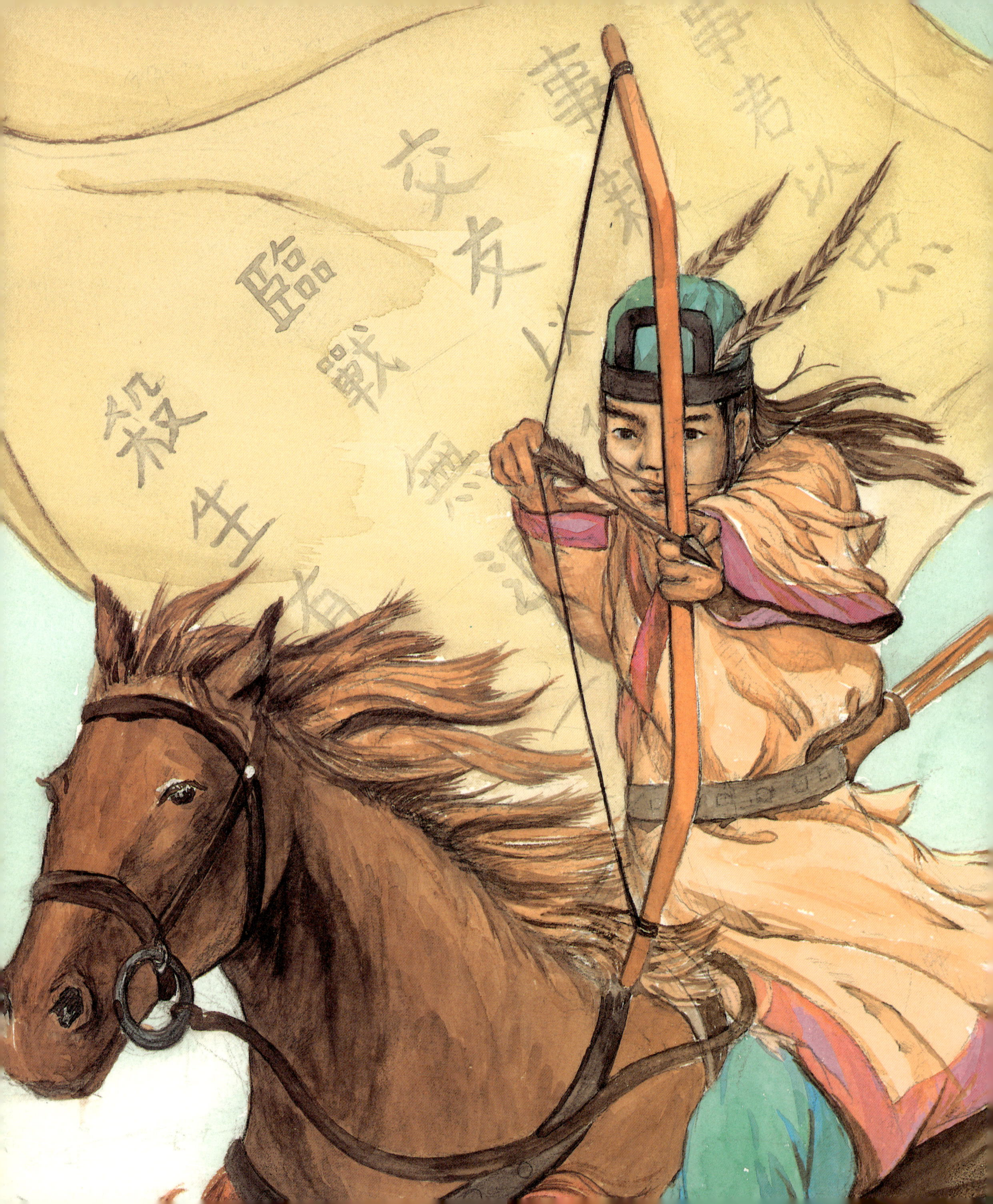
事君以忠
事親
交友以
臨戰無
殺生有

진흥왕은 당장 명령을 내렸어요.
"건강하고 총명한 젊은이들을 뽑아 한데 모은 다음
글과 무예를 가르치도록 하시오!"
신라 곳곳에서 수많은 젊은이들이 모여들었어요.
그리고 마침내 여러 번의 시험을 거쳐 뽑힌 우수한 젊은이들이 진흥왕 앞에 섰어요.
진흥왕은 흡족한 얼굴로 젊은이들을 보며 말했어요.
"꽃처럼 아름답고 건강한 모습이구나. 그대들을 화랑이라고 부르겠다."
화랑은 말 그대로 꽃 같은 젊은이라는 뜻이에요.
"내가 화랑을 뽑은 것은 장차 우리 신라를 지고 나갈 대들보가 필요하기 때문이다.
그대들도 잘 알다시피 우리 신라는 작고 약해
언제나 고구려와 백제로부터 시달려 왔다.
고구려와 백제를 이기려면 그대들처럼 훌륭한 젊은이들이 중심이 되어
나라를 지켜야 한다. 그러니 오늘부터 열심히 글공부를 하고 무예를 갈고 닦아라.
그리하여 나라가 위태로울 때 공을 세워 다오."
"폐하의 기대에 어긋나지 않게 자랑스러운 신라의 대들보가 되겠습니다."
화랑들은 씩씩하게 대답했어요.

화랑들은 경서*를 공부하고 칼과 창을 쓰는 법, 활쏘기, 말타기 등 무예를 갈고 닦았어요.

무리를 지어 전국의 산과 들, 골짜기를 다니기도 했지요.

그것은 단순한 여행이 아니라 땅의 모양과 성질을 익히기 위한 공부이기도 했답니다.

또한 단체 생활을 하면서 서로를 아끼고 위하는 마음도 길렀어요.

동료 화랑을 친형제처럼 사랑하는 마음은 전쟁터에서

뜨거운 우정과 의리로 발휘되었고, 그것은 곧 승리의 원천이 되었지요.

당시 신라에는 원광이라는 훌륭한 스님이 있었어요. 원광 스님은 화랑들이

신라에 큰 힘이 되어야 한다며 화랑을 위한 계율*을 정해 주었답니다.

첫째, 나라와 임금님께 충성할 것.

둘째, 부모님께 효도할 것.

셋째, 친구는 믿음으로 사귈 것.

넷째, 전쟁터에 나가면 절대 물러서지 말 것.

다섯째, 목숨이 있는 것을 함부로 죽이지 말 것.

이 다섯 가지 계율은 '세속오계'라고 해서 화랑들이

생명처럼 소중하게 여기는 가치가 되었어요.

* 경서 : 유교의 가르침을 적은 책
* 계율 : 사람으로서 지켜야 할 규범

15

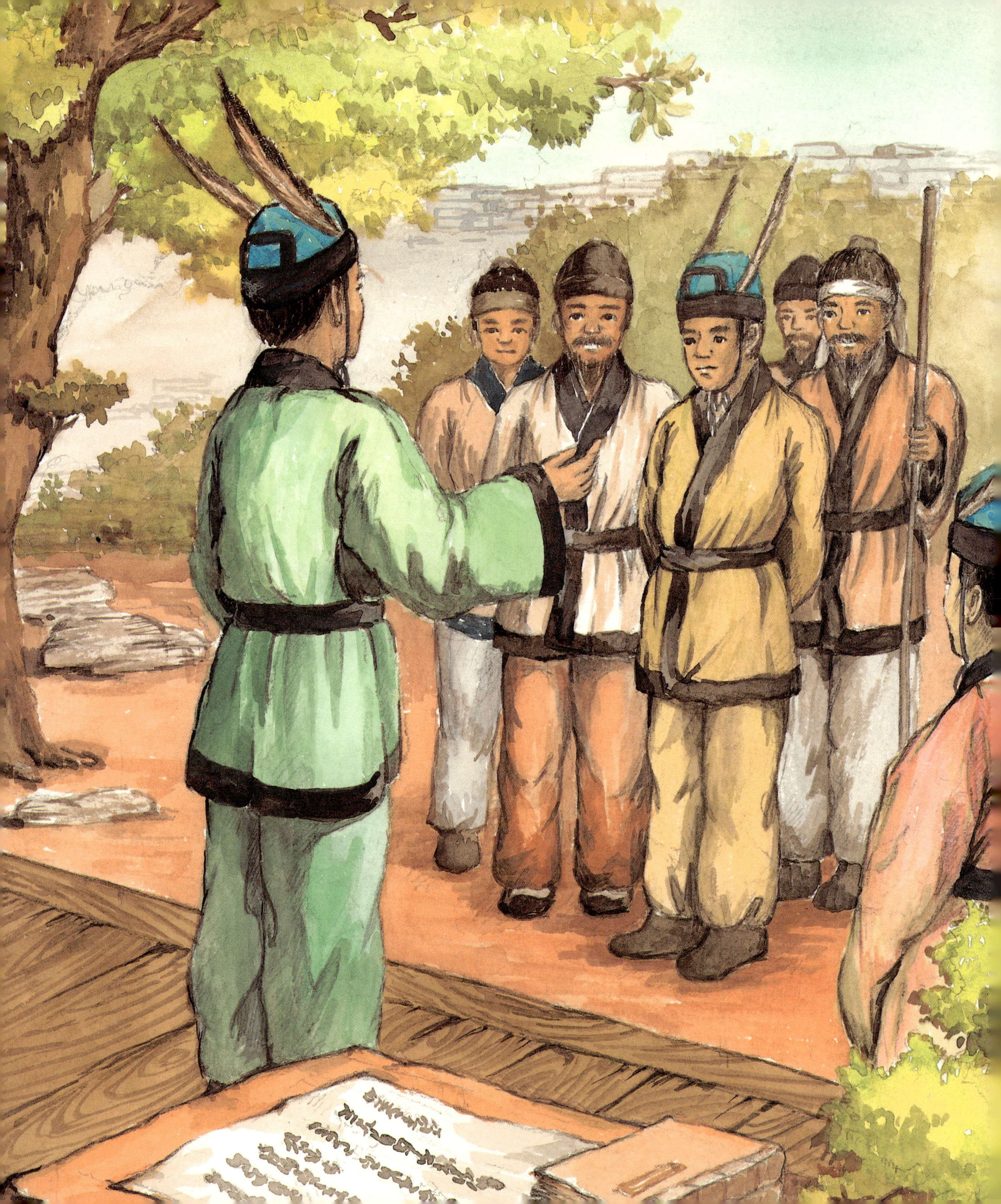

진흥왕은 신라의 군대도 강하게 훈련시켰어요.
군인들에게 녹봉*을 넉넉하게 주자 신라 곳곳에서 많은 남자들이
군사가 되겠다며 몰려들었지요.
진흥왕은 군사들을 철저하게 훈련시켰어요.
그리고 화랑들에게 신라군을 이끌게 했답니다.
화랑들은 여러 가지 병법*을 공부했기 때문에 적은 희생으로 크게 승리할 수 있는 법도
잘 알고 있었지요. 게다가 무예도 뛰어나 군사들에게 좋은 스승이 될 수 있었어요.
이렇게 하루하루 나라의 힘을 키우고 있을 무렵, 때마침 좋은 기회가 왔어요.
고구려에 한강 유역을 빼앗기고 수도를 웅진*으로 옮길 만큼
궁지에 몰린 백제 성왕이 고구려 도살성*을 공격해 빼앗아 버린 것이었지요.
그러자 고구려도 지지 않고 백제의 금현성*을 빼앗았어요.
그러고는 무서운 기세로 백제를 공격하기 시작했답니다.

*녹봉 : 나라에서 주는 봉급
*병법 : 군사를 지휘하여 전쟁하는 방법
*웅진 : 오늘날 공주
*도살성 : 오늘날 충청남도 천안
*금현성 : 오늘날 충청남도 연기

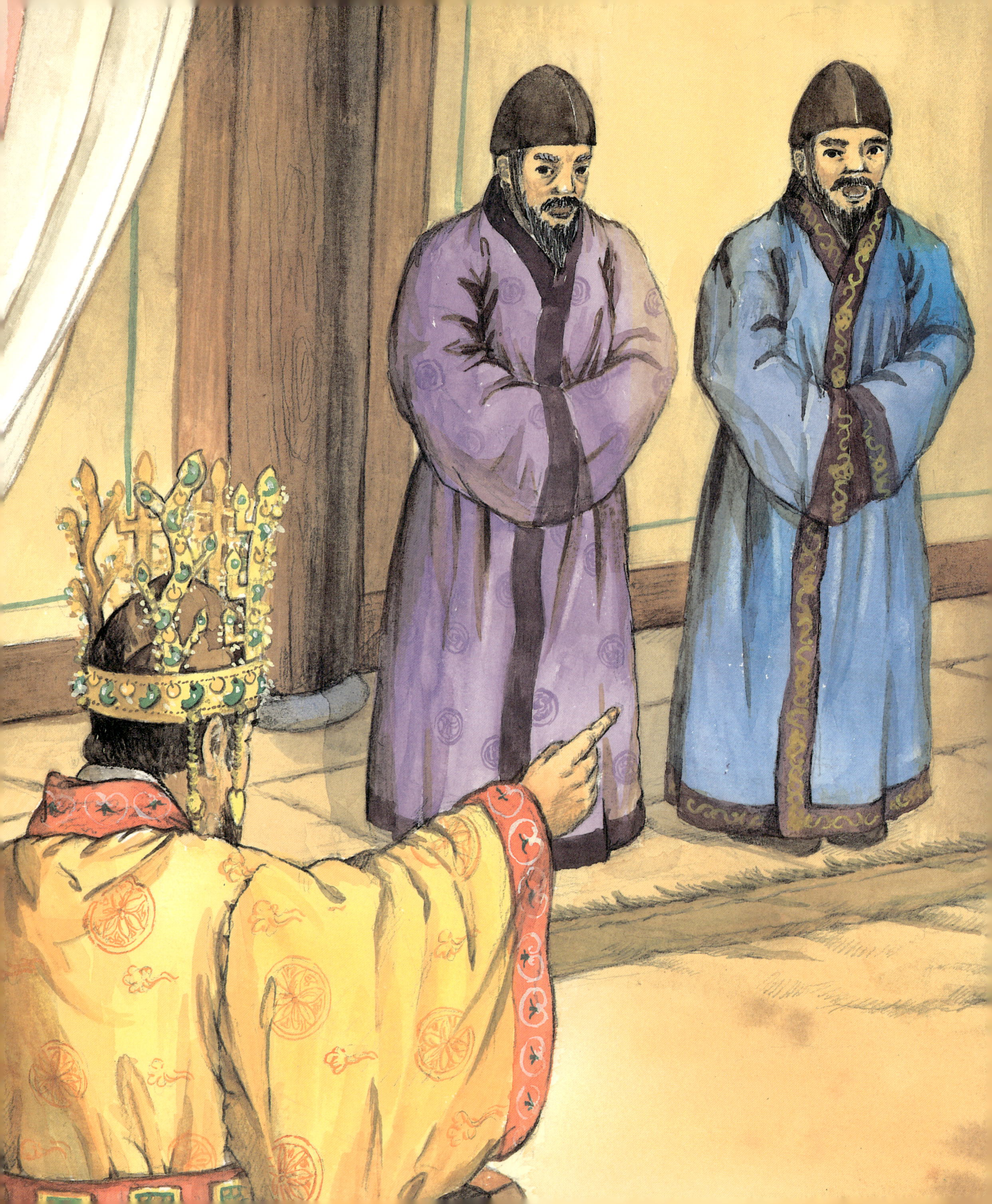

백제 성왕은 서둘러 신라에 사신*을 보내 지원군을 요청했어요.
백제는 진흥왕의 큰아버지인 법흥왕 때까지
신라와 동맹 관계를 맺고 있었거든요.
하지만 진흥왕은 백제 사신을 향해 차갑게 말했어요.
"신라는 백제를 위해 피 한 방울도 흘릴 수 없으니 돌아가라."
진흥왕의 말에 백제 사신보다 신라 대신들이 더 놀랐어요.
"폐하! 신라와 백제의 동맹은 법흥왕도 지키신 약속입니다.
그 약속을 깨시면 안 됩니다."
대신들의 하소연에 진흥왕은 단호하게 말했어요.
"지금까지 신라와 백제는 동맹 관계였다. 그런데도 백제는 틈만 나면
신라의 서쪽 국경을 침범하곤 하였다.
그런데 왜 신라만 약속을 지켜야 하는가?"
그러자 다른 대신이 말했어요.
"폐하의 마음은 압니다만, 지원군을 보내지 않으면
전쟁이 끝난 뒤 반드시 백제가 보복을 해 올 것입니다."
마침내 진흥왕의 분노가 폭발했어요.
"그대들은 언제까지 백제의 눈치를 볼 것인가?
스스로 강해지지 않으면 모두들 우리를 얕보고 괴롭힐 것이다!"

*사신 : 나라의 명을 받아 외국에 파견되는 신하

진흥왕은 여기서 그치지 않고 더 놀라운 명령을 내렸어요.

"고구려와 백제는 계속 싸우느라 지금 매우 지쳐 있다.

그러니 지금이 가장 좋은 기회다. 도살성을 공격하라!"

진흥왕의 명령을 받은 이사부 장군이 신라군을 지휘하여 도살성을 공격했어요.

그동안 꾸준히 무예를 갈고 닦은 화랑들이 앞장섰지요.

신라군이 공격을 시작하자 도살성의 군사들과 백성들은 넋을 잃었어요.

고구려와 백제의 전쟁으로 지칠대로 지친 데다

잘 훈련받은 화랑과 신라군이 밀어닥치니 도무지 버틸 재간이 없었어요.

도살성 전투에서 신라군은 지금까지와는 아주 다른 모습을 보였어요.

다른 나라 군사 앞에서 어쩔 줄 몰라 하던 모습은 사라지고 용감하게 적을 공격했지요.

특히 화랑들의 활약이 대단했어요. 화랑들은 '전쟁터에서 절대 물러나지 않는다.' 는

계율을 마음에 새기며 죽기를 각오하고 싸웠어요.

마침내 신라군은 도살성을 손에 넣었어요.

"믿어지지가 않아, 우리 신라가 이기다니!"

신라군과 화랑들은 서로 얼싸안고

눈물을 흘렸어요.

21

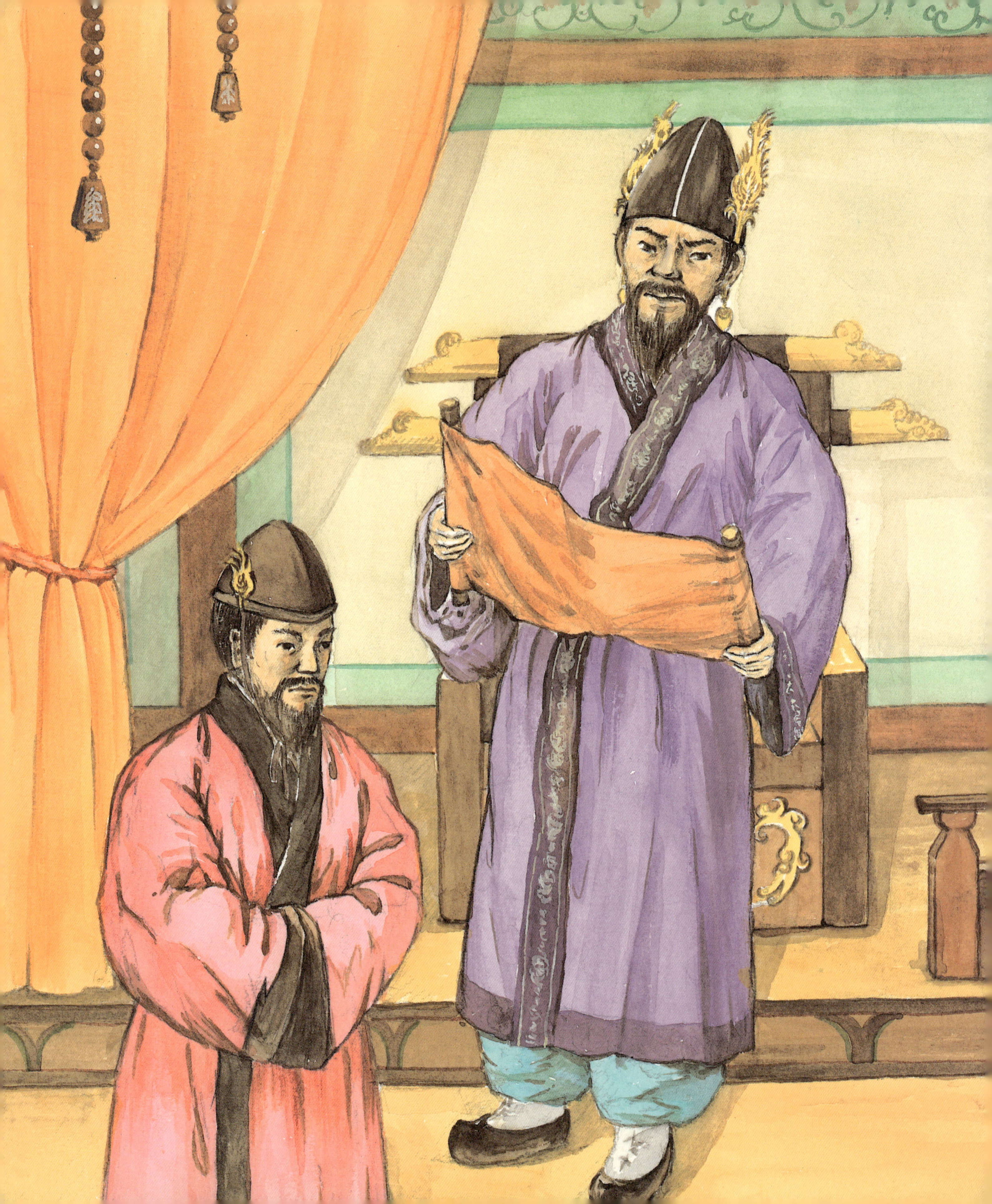

도살성 전투에서 이겼다는 소식이 전해지자 진흥왕과 신라 백성들은 몹시 기뻐했어요.
이제는 대신들도 더 이상 진흥왕의 말에 반대할 수 없었어요.
한편, 고구려의 조정에서는 서로 편을 갈라 싸우고
자기 편에 유리한 왕족을 왕으로 세우기 위해서
상대를 죽이는 일도 서슴지 않았어요.
기회를 만난 진흥왕은 서둘러 백제에 사신을 보내 지난번에 지원군을 보내지 못해
미안하다고 사과하는 한편 손을 잡고 함께 고구려를 공격하자는 말을 전했어요.
백제 성왕은 여전히 화가 풀리지 않았지만 일단 신라와 손을 잡기로 했어요.
'일단 신라와 손을 잡고 고구려를 치자. 백제를 제일 위협하는
고구려를 정복한 다음 신라를 공격하는 거야.'
이리하여 신라는 고구려의 동쪽,
백제는 고구려의 서쪽을 공격했어요.

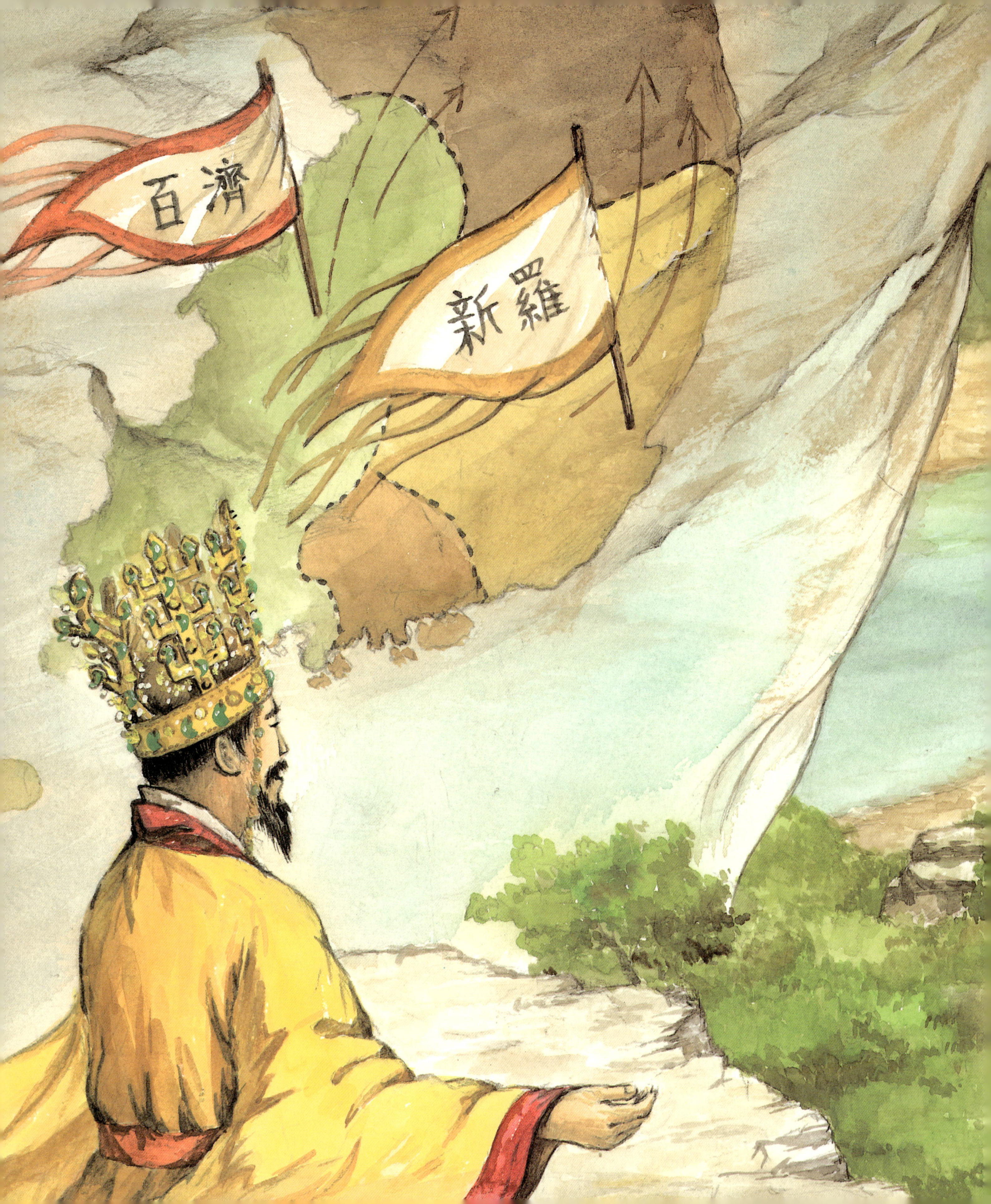
百濟
新羅

왕위 싸움에 정신이 없던 고구려는
갑작스러운 신라와 백제의 공격에 깜짝 놀랐어요.
서둘러 반격을 했지만, 신라와 백제가 양쪽에서 공격해 오니
가운데서 옴짝달싹할 수가 없었지요.
용감한 화랑이 주축이 된 신라군은 죽령 이북의 고구려 땅 10군*을,
백제군은 한강 아래쪽 고구려 땅 6군을 빼앗았어요.
"세상에, 우리가 그 무서운 고구려를 이기다니!"
신라 백성들은 집 밖으로 뛰쳐나와 덩실덩실 춤을 추었답니다.
그러나 진흥왕은 생각에 잠겼어요.
'기뻐하기는 아직 이르다. 한강 유역을 손에 넣지 못하면 신라는 절대 강해질 수 없다.'
그 후 진흥왕은 군사를 일으켜
백제가 점령하고 있던 한강 아래쪽 6군을 빼앗았어요.
이로써 진흥왕은 오랫동안 염원했던 한강 유역 정복의 꿈을 이루게 되었어요.
진흥왕은 호탕하게 웃으며 외쳤답니다.
"한강은 큰 바다를 지나 당나라로 닿는다.
이제 물길을 얻었으니 신라는 영원히 강한 나라로 빛나리라."

*군 : 우리나라 행정 구역의 하나로 '도'의 아래, '읍', '면'의 위에 위치함

한강 유역을 빼앗겼다는 소식을 들은 백제 성왕은 분노에 떨었어요.
"아버지 무령왕이 되찾았던 한강 유역을 내 손으로 잃다니!
이런 부끄러운 일이 어디 있단 말이냐!"
성왕은 신라 관산성*을 공격했어요.
백제군은 무서운 기세로 신라군을 무찔렀어요.
관산성이 거의 백제군에 의해 점령당할 무렵, 진흥왕이 보낸 지원군이 도착하여
백제는 승리를 코앞에 두고 후퇴를 하게 되었어요.

*관산성 : 오늘날 충청북도 옥천

"안 된다! 더 이상 물러설 수는 없다!"

절박해진 성왕은 직접 말을 몰고 싸우다 신라군에게 붙잡혀 그만 전사*하고 말았어요.

이 사실이 알려지자 백제군은 허둥지둥 도망치기 시작했어요.

신라군의 완벽한 승리였지요.

신라인들은 한강 유역에 커다란 비석을 세우고 진흥왕의 업적을 기록했어요.

이것이 바로 진흥왕순수비랍니다. 진흥왕순수비는 오늘날에도 그 모습이 남아 있어요.

* 전사 : 전쟁터에서 싸우다가 죽음

진흥왕은 승리의 여세를 몰아 신라 남쪽에 있던 작은 나라 대가야까지 정복했어요.

그리하여 신라의 땅은 낙동강 유역의 경상남북도 지방과

한강 유역, 강원도, 경기도 지방까지 이르게 되었지요.

정복 전쟁을 마친 진흥왕은 그동안 전쟁에 지친 백성들을 위로하기 위해 흥륜사*를 지었어요.

흥륜사가 완성된 날은 온 나라 백성들에게

떡과 술을 나누어 주고, 감옥의 죄수도 풀어 주었답니다.

진흥왕은 한반도 동남쪽에 자리 잡은 작은 나라 신라를 한반도 제일의 나라로 만들었어요. 진흥왕이 다스리는 동안 신라는 최고의 전성기를 누렸지요.

그러나 왕위에 오른 지 37년 되던 해, 진흥왕은 병에 걸리고 말았어요.

병이 점점 심해지자 진흥왕은 사륜 태자*를 불러 말했어요.

"언제나 왕도*를 지키도록 하여라."

진흥왕은 짧은 말을 남기고 숨을 거두었어요.

진흥왕은 세상을 떠났지만 진흥왕이 만든 화랑 제도는 그 뒤로 더욱 발전하여

서기 668년, 화랑 출신의 뛰어난 장수들의 활약으로 삼국 통일을 이루게 되었지요.

*흥륜사 : 신라 눌지왕 때 고구려 승려 아도가 지었는데 폐허가 되었다가 진흥왕이 다시 지음
*태자 : 왕위를 이을 후계자
*왕도 : 왕이 지켜야 할 도리

29

삼국 통일의 터를 닦은

진흥왕

진흥왕은 신라 제23대 법흥왕의 조카로 태어났습니다. 법흥왕이 아들 없이 세상을 떠나자 진흥왕은 일곱 살이라는 어린 나이에 신라 제24대 왕이 되었어요. 진흥왕의 나이가 너무 어렸기 때문에 어머니인 지소 부인이 대신 나라를 다스렸는데, 이렇게 왕이 어려서 그 어머니나 다른 왕족이 대신 나라를 다스리는 것을 '섭정'이라고 합니다.

섭정을 하는 것은 왕에게 큰 부담이 되는 일입니다. 신하들이 멋대로 높은 관직을 차지하고 왕을 마음대로 움직이려고 할 수도 있으니까요. 그러나 진흥왕은 어머니 지소 부인의 가르침을 받아 훌륭한 왕으로 성장하여 열여덟 살이 되면서부터 직접 나라를 다스리기 시작했지요. 본격적으로 나라를 다스리게 된 이후, 진흥왕은 가장 먼저 나라의 땅을 넓히는 사업에 뛰어듭니다.

진흥왕은 먼저 백제와 손을 잡고 고구려를 공격했습니다. 그래서 고구려가 차지하고 있던 한강 상류 유역을 빼앗았어요. 뿐만 아니라 553년에는 백제를 공격해서 한강 하류 지역까지 빼앗고, 서기 562년에는 마지막 가야 세력인 대가야를 정복하는 업적을 세웁니다.

진흥왕의 업적 중에서도 특히 주목할 만한 것은 '화랑 제도'를 만든 것입니다. 애국심에 불타는 우수한 젊은이들로 구성된 화랑도는 나중에 삼국 통일을 이루는 데 눈부신 활약을 하게 됩니다. 이렇게 나라 밖으로는 영토를 넓히고, 나라 안으로는 화랑 제도를 만들어 힘을 키운 진흥왕은 신라의 전성시대를 이끈 왕이었답니다.

진흥왕은 신라를 강한 나라로 만들어 신라의 전성시대를 이끌었어요.

기원전 57년	512년	532년	540년	544년	553년	555년
신라 건국	우산국 정복	금관가야 정복	진흥왕 신라 제24대 왕 즉위	흥륜사 완성	진흥왕 단양적성비 세움	진흥왕 북한산 순수비 세움

진흥왕과 관련 있는 # 인물들

입종갈문왕 : 진흥왕의 아버지

신라 제23대 법흥왕의 동생이자 제24대 진흥왕의 아버지입니다. 신라 제19대 눌지왕 이후 왕위의 부자세습제(아버지가 아들에게 왕위를 물려주는 것)가 확립됨으로써 왕위를 물려받을 수 있는 지위에서 밀려났으며, 525년(법흥왕 12) 지소 부인과 결혼하였습니다.

지소 부인 : 진흥왕의 어머니

지소 부인은 제23대 법흥왕의 딸이자 법흥왕의 동생인 입종갈문왕의 아내입니다. 아들 진흥왕이 일곱 살의 어린 나이에 왕위에 오르게 되자 열여덟 살이 될 때까지 아들을 대신해서 정치에 관여하였습니다.

알고 싶은 **요모조모**

진흥왕순수비

진흥왕은 전쟁을 해서 영토를 넓힐 때마다 '순수비'라고 하는 큰 비석을 세웠어요. 신라 영토를 표시하고 자신의 공적도 알리기 위해서였지요. 오늘날 남아 있는 순수비는 창녕비, 북한산비, 황초령비, 마운령비 등 모두 4기로, 당시의 삼국 관계와 신라의 정치상, 사회상을 알 수 있는 귀중한 자료입니다.

561년	576년	660년	668년	676년	751년	888년	935년
진흥왕 창녕비 세움	진흥왕 화랑 제도 정비	백제 정복	고구려 정복	삼국 통일 통일 신라 시대 시작	불국사 창건	향가집 《삼대목》 편찬	신라 멸망

궁금증을 풀어 주는 # 미로여행

Q1 진흥왕 아버지의 직위인 **갈문왕**은 어떤 자리인가요?

Q2 진흥왕 말고도 **섭정**을 한 왕이 또 있나요?

Q3 진흥왕 때에 세워진 **비석**은 또 어떤 것이 있나요?

Q4 진흥왕이 다스리던 신라에도 오늘날과 같은 **군사 제도**가 있었나요?

갈문왕은 혈통을 달리하여 왕위를 이은 왕의 아버지나 왕의 장인 등에게 바치던 **칭호**예요. 물론 왕의 아버지나 장인이라고 해서 모두 이 칭호를 가질 수 있는 건 아니었어요. 왕에 필적하는 권력을 갖고 있었던 사람일 경우에만 갈문왕이라고 불릴 수 있었지요.

신라의 제40대 혜공왕도 어머니가 섭정을 했어요. 혜공왕은 756년, 아버지 경덕왕이 죽고 난 뒤 여덟 살에 왕위에 올랐지요. **섭정 제도**는 조선 시대까지 이어졌답니다.

단양적성비가 있지요. 단양적성비는 진흥왕이 소백산맥의 죽령을 넘어 고구려에 빼앗겼던 단양 지방을 되찾은 것을 기념해 세워졌어요. 국보 제198호로 신라 시대를 연구하는 데 큰 도움이 되고 있지요.

초기 신라는 6개의 부족이 모여 만든 부족연합체로 각 부족에서 선발한 군사들이 수도를 지켰어요. 진흥왕은 본격적으로 군대를 정비하고 6개의 부대를 모아 **대당**이라는 군사 조직을 만들었지요. 대당은 진흥왕이 영토를 넓히는 데 큰 역할을 했답니다.